I Carys

For Carys

Ble mae Twts?

Where's Twts?

Chris Glynn • Ruth Morgan

Gomer

'Bydd pawb yma cyn bo hir!' meddai Mam. 'Ble mae Twts?'

'They'll all be here soon!' says Mum. 'Where's Twts?'

'O, na! Mae hi'n FRWNT!' meddai Mam-gu.

'Oh no! She's DIRTY!' says Grandma.

'Dyna welliant.'

'That's better.'

'Gofala amdani Tomos, dyna fachgen da.'

'Keep an eye on her, Tomos, there's a good boy.'

'BLE MAE TWTS?' yw cwestiwn pawb.

'WHERE'S TWTS?' they all ask.

'Ble mae Twts?' meddai Anti Gwen. 'Dwi eisiau cusan pen-blwydd!'

'Where's Twts?' asks Aunty Gwen. 'I want a birthday kiss!'

'Ble mae Twts?' meddai Wncwl Gwyn. 'Mae eisiau iddi agor yr anrheg mawr yma.'

'Where's Twts?' asks Uncle Gwyn. 'This big present needs opening.'

'Am anrheg gwych!' meddai pawb yn gytûn.

'What a fantastic present!' they all agree.

'Bydd Twts wrth ei bodd
â hwn!' meddai Dad.
'Twts will love this!' says Dad.

'GRÊT!'
'GREAT!'

'Dewch bawb i gael te!'
meddai Mam.
'Come and have tea!' says Mum.

'Pen-blwydd Hapus i ti,
Pen-blwydd Hapus i ti,
Pen-blwydd Hapus i . . .'
'Happy birthday to you . . .'

'O! Ble mae Twts?'
'Oh! Where's Twts?'

'Ble mae Twts?'
'Where's Twts?'

'BLE MAE TWTS?'

'WHERE'S TWTS?'

'Edrychwch! Mas yn yr ardd!' meddai Macs drws nesaf.

'Look! Out in the garden!' says Max next door.

'Dwi wedi bod yn gofalu amdani,' meddai Tomos.

'I've been looking after her,' says Tomos.

'PEN-BLWYDD HAPUS TWTS!'
'HAPPY BIRTHDAY TWTS!'

Argraffwyd gyntaf yn Gymraeg yn 2006
First published in Welsh in 2006

ISBN 978 1 84323 898 0

Cyhoeddwyd ac argraffwyd gan / Printed and published by
Gwasg Gomer, Llandysul, Ceredigion SA44 4JL
www.gomer.co.uk